ЗАГАДКИ

Санкт-Петербург
«Издательский Дом "НЕВА"»
Москва
«ОЛМА-ПРЕСС»
1999

ББК 84.5
314

314 ЗАГАДКИ. — Художники О.Попугаева, Д.Непомнящий, О.Карелина, Е.Базанова, А.Миронов, А. Запаренко.
СПб.: «Издательский Дом "НЕВА"», М.:«ОЛМА-ПРЕСС», 1999. — 64 с.
(Серия «Для самых маленьких»).

ISBN 5-7654-0379-4
ISBN 5-224-00455-1

ББК 84.5

ЗАГАДКИ

Сам алый, сахарный,
Кафтан зелёный, бархатный.

Без окон, без дверей
Полна горница людей.

Медведи так любят её, и не диво:
Душистая, сладкая и — красивая!

Этот длинный рыжий нос
По макушку в землю врос.

На солнце я похожий, и я его люблю,
За солнцем поворачиваю голову свою.

Синий мундир,
Жёлтая подкладка,
В середине сладко.

**Тянули бабка с дедкой,
Вытянули...**

Не достанешь их, покуда не исколешь пальчики.
Любят эти изумруды девочки и мальчики.

Так рассержен
Этот толстенький сеньор,
Весь наполнен
Соком красным...

Телятки гладкие,
Привязаны к грядке.

Очень сильно накачали этот жёлтый мячик.
Полон семечек и каши и совсем не скачет.

Сидит Ермошка на одной ножке,
На нём сто одёжек, и все без застёжек.

Стоит лепёшка на одной ножке.
Кто мимо ни пройдёт, всяк поклонится.

Как только захочу его раздеть,
Так сразу начинаю я ... реветь.

**Под листочками подряд
Люстры красные горят.**

**Колючий ёжик
Вцепился в одёжу.**

Хоть и жжётся,
Но красива
Всем известная
...

Сорвал я красный гриб в лесу,
Любуюсь на его красу:
На белой он ножке,
На шляпке горошки...
А люди говорят,
Что в нём опасный ...

В зелёном домишке полно ребятишек.
Сидят в рядок, к колобку колобок.

В одежде богатой,
А сам слеповатый,
Живёт без оконца,
Не видывал солнца.

Этот серенький зверёк
В норку шмыг и сыр жуёт.

Возле печки греется,
Без водички моется.

Ползун ползёт,
Иголки везёт.

Кто зимой белый,
Летом серый?

Схоронился под пенёк
С иголочками клубок.

Маленький шарик
Под лавкой шарит.

Кто может выйти
В открытое поле,
Не покидая своего дома?

Под землёй обитает,
Длинные норы копает.

То рыжая, то серая,
А прозваньем белая.

Кто на свете ходит
В каменной рубахе?

У кого усатая
Морда полосатая?

По горам, по долам
Ходит шуба да кафтан.

С бородой родился,
Никто не дивился.

Он совсем не кровожадный,
Потому что травоядный,
Только смотрит строго.
На носу два рога,
На ногах копыта —
От врагов защита.
Лишь слона не свалит с ног
Африканский ...

С хозяином дружит,
Дом сторожит.
Живёт под крылечком,
А хвост колечком.

Он высокий,
Он огромный,
Он похож на кран подъёмный.
Только это кран живой
С настоящей головой.
Тот из вас будет прав,
Кто ответит нам ...

Не прядёт, не шьёт,
А людей одевает.

Четыре ноги,
Пятая грива,
Шестой хвост,
Погоняй, не бойсь.

Лежит под плетнём
И крутит хвостом,
Ничего не болит,
А всё стонет.

Косой бес
Поскакал в лес.

Днём молчит,
Ночью ворчит.

Посреди двора стоит копна:
Спереди вилы, сзади — метла.

Летом наедается,
Зимой высыпается.

Дед в шубу одет,
Наружу мех, пугает всех.

Серый он,
Носатый он,
Добродушный милый ...

Где камыш качает зыбь,
Притаилась птица...

Сидел на заборе,
Пел да кричал,
А как все собрались,
Взял да замолчал.

Длинноногая девица
Гордо в озеро глядится.

Не княжеской породы,
А ходит с короной.

На шесте дворец,
Во дворце певец,
А зовут его ...

Днём спит, ночью летает
И прохожих пугает.

В воде купался —
Сухим остался.

Что за птица в моей клетке?
Угадай!
Это просто говорливый
...

Озорной мальчишка
В сером армячишке
По дворам шныряет,
Крохи собирает.

Он долго дерево долбил
И всех букашек истребил.
Зря он времени не тратил,
Длинноклювый пёстрый ...

Бежит Наташка
В семидесяти рубашках;
Ветер дунет, и тело голо.

На дне морском *скарпена*
Маскируется отменно...
...Но, коварная, больно колется!

Кто там под мостиком
Виляет хвостиком?

Опасней всех в реке она!
Хитра, прожорлива, сильна,
Притом такая злюка!
Конечно, это ...

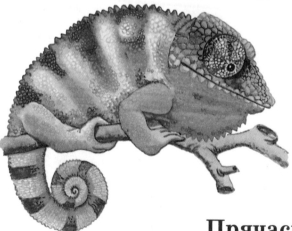

**Прячась, цвет меняет он,
Ну, хитрец...**

**На лужайках возле речек
В травах прячется...**

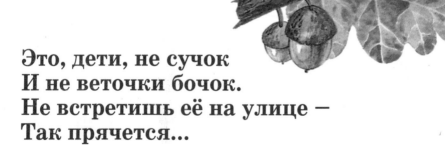

Это, дети, не сучок
И не веточки бочок.
Не встретишь её на улице –
Так прячется...

Не кора, не стебелёк,
Это, дети...

Дедушка ежок
На печи дыру прожёг.

Мал малышок,
Буян на носок,
Нос-то долог,
Голос звонок,
Летит — визжит,
А сядет — молчит.
Кто его убьёт,
Свою кровь прольёт.

В цветок
Опустит хоботок —
Сосёт душистый сладкий сок.
А после в улей принесёт
Прозрачный ароматный мёд.
Хоть и не зла,
Но как игла
Кольнёт обидчика...

Рогат, да не бык:
Шесть ног без копыт.

Тоньше этой пряжи
Нет в продаже.

Гудит, мохнатенький,
Летит за сладеньким.

44

Кто в лесу
Сильнее всех?

Кто на себе
Свой дом носит?

Пришли в лес без топоров,
Срубили избу без углов.

И зимой и летом
В зелёную шубу одета.

Удивляется цветок:
"Что за новый лепесток?"
Кто так прячется?..

Ясным утром вдоль дороги
На траве блестит роса.
По дороге едут ноги
И бегут два колеса.
У загадки есть ответ:
Это мой ...

Еду, еду –
Следу нету;
Рублю, рублю –
Щепок нету.

И шипит,
И кипит,
В дырочку льётся,
А станешь пить – жжётся.

День и ночь стучится,
Никого не боится.

На коне верхом
Сидит Пахом,
Книги читает,
А грамоты не знает.

У кого зубы есть,
А рта нет?

Деревянная дорога,
Вверх ведёт она отлого.
Что ни шаг — то овраг.

Сам худ,
Голова с пуд,
Как ударит —
Крепко станет.

День прибывает,
А он убывает.
Дни пройдут,
Все листы опадут.

Сколько по ней ни иди,
Всё будет бежать впереди.

Без него плачем,
А как появится —
От него глаза прячем.

Стоит в поле Федорок,
Сам с локоток,
А борода с веник.

Они стоят,
Они идут,
Они спешат
И отстают,
И говорят
За шагом шаг
То «тик», то «так»,
То «тик», то «так»,
Хотя ни языка, ни ног
Найти бы ты у них не смог.
Они нужны не для красы —
Диктуют время нам ...

Как ножка воробьиная тонка,
Скользит по стенке коробка.
Скользнёт и высечет огонь,
Когда горит — её не тронь,
Играть с ней — скверная привычка.
Опасная игрушка...

Маленький,
Кругленький,
А за хвост не поднимешь.

Чтобы было где писать,
В школе нам нужна ...

Брат брата гонит,
А ввек не догонит.

У КОШКИ – ☐☐☐☐☐☐☐

У СОБАКИ – ☐☐☐☐☐

У ЛИСИЦЫ – ☐☐☐☐☐☐☐

У ЗАЙЧИХИ – ☐☐☐☐☐☐☐

У БЕЛКИ – □□□□□□□□□

У ЕЖИХИ – □□□□□□

У МЕДВЕДИЦЫ – ☐☐☐☐☐☐☐☐☐

У ЛОШАДИ – ☐☐☐☐☐☐☐☐

У КОРОВЫ –

У ОВЦЫ –

У ВОРОНЫ – ⬚⬚⬚⬚⬚⬚⬚⬚⬚

У КУРИЦЫ – ⬚⬚⬚⬚⬚⬚⬚⬚

У УТКИ – ⬜⬜⬜⬜⬜⬜

У СВИНЬИ – ⬜⬜⬜⬜⬜⬜⬜⬜⬜

Для дошкольного возраста
ЗАГАДКИ

Серия «Для самых маленьких»

Использованы загадки Т. Ю. Павловой-Зеленской
Художественный редактор *А. Н. Миронов*
Редактор *Л. Б. Лаврова*
Технический редактор *Я. Ю. Матвеева*
Компьютерный дизайн и вёрстка *М. Е. Азаров,
С. В. Степанский, Е. В. Бойков*

Лицензия ЛР № 064020 от 14.04.95.
Лицензия ЛР № 070099 от 03.09.96.

Подписано в печать 22.07.99. Формат 70×100¹/₁₆. Гарнитура «Школьная».
Печать офсетная. Усл. печ. л. 4,9. Уч.-изд. л. 3,28.
Тираж 15 000 экз. Заказ № 4565

«Издательский Дом „НЕВА“», 198013, Санкт-Петербург, ул. Можайская, д. 18, оф. 3
Издательство «ОЛМА-ПРЕСС», 129075, Москва, Звездный бульвар, д. 23

Диапозитивы изготовлены ООО «Русская коллекция СПб»
Санкт-Петербург, В. О., 9 линия, д. 12, оф. 208

Отпечатано с готовых диапозитивов
в полиграфической фирме «КРАСНЫЙ ПРОЛЕТАРИЙ»
103473, Москва, ул. Краснопролетарская, д. 16

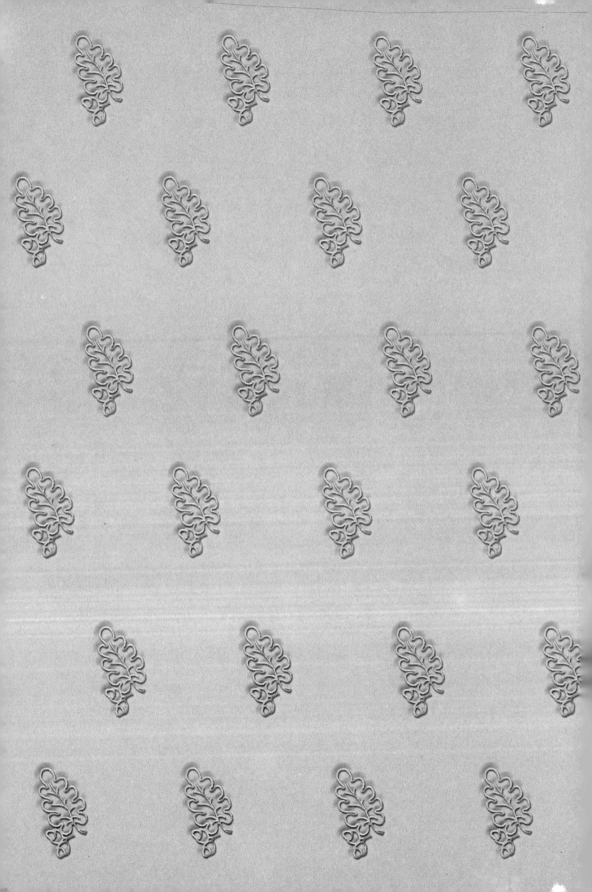